pocket size
SUDOKU
PUZZLES

D1246548

Visit our website to find more quality products:
www.pappinternational.com

Want more puzzles? Visit:
www.pappgames.com

© 2020 PAPP International Inc. Printed in the USA.
All rights reserved. No part of this book may be reproduced or copied in
any manner without prior written permission from the publisher. For more
information, contact us at **info@pappinternational.com** or write to us at:

PAPP International Inc.
3700 Griffith St., Suite 395,
Montreal (Quebec), Canada H4T 2B3

HOW TO SOLVE A SUDOKU PUZZLE

Each Sudoku puzzle consists of a 9-by-9 grid of numbers that has been partly filled in. The goal is to fill in all the remaining empty squares so that each row, each column, and each "box" contain all of the numbers from 1 to 9.

4	1	6	9	7	2	8	5	3
3	5	7	1	6	8	2	9	4
9	8	2	5	3	4	1	7	6
7	4	3	2	8	6	5	1	9
5	6	9	3	1	7	4	2	8
8	2	1	4	5	9	3	6	7
2	9	5	6	4	3	7	8	1
6	7	4	8	2	1	9	3	5
1	3	8	7	9	5	6	4	2

ROW

Each row must contain the numbers 1, 2, 3, 4, 5, 6, 7, 8, and 9.

BOX

Each Sudoku consists of 9 "boxes." As with each row and column, each box must contain the numbers 1, 2, 3, 4, 5, 6, 7, 8, and 9.

COLUMN

Each column must contain the numbers 1, 2, 3, 4, 5, 6, 7, 8, and 9.

Get over 600 puzzles a year delivered right to your home!
Turn to the last page to find out how ...

PUZZLE 1

			9		1	8	6	4
		1						
	4	6	7					1
2				6		1	5	
3				1		6	7	9
					5	4		
			8			2		5
			1	3				
	2	8		4		9	3	

EASY

PUZZLE 2

		3				9	6	5
		5	4	3	7			
1	8			5		3		
						2	9	
6	9		5	8				1
3		1	7		9			
			2		5	7		9
2		9				8	4	

EASY

⏱ COMPLETION TIME:

PUZZLE 3

		7					5	
							4	9
			8	6		7		
	8		4		1	9	6	
		4		7			1	
6			9		2		7	
			1					4
2	4		3	8	7			
	1	8		4	9			

EASY

PUZZLE 4

		5			8	1		3
		7		3				
3						6	2	
5		8		4		2		1
2			8					4
	9	4		1			7	
		6			2	4		
				3	6	8		
				8			5	6

EASY

⏱ COMPLETION TIME:

PUZZLE 5

				6				
2	9	8			1	6		4
1	6		9		2		7	
6		9			7	5		1
3			1	5	4	9		6
		1		2				
7						8	6	9
	1					2		
9	2			7	6			

EASY

PUZZLE 6

8	7	2	6		3			5
5		6	2	9			1	
		1	5				2	3
		4	8					7
			4	5			3	1
		7		2	1			
		5		4	2		8	6
4				6		5		
2						1	4	

EASY

⏱ COMPLETION TIME:

PUZZLE 7

5	8		7			1		
			8		3			9
1				9			6	
		6			7			4
	7		1			2	9	
		8			9	7	1	3
2		4				6	7	
			5	8	2			
	9				6	3	2	

EASY

PUZZLE 8

		9		2				3
	1	3	9		7	6		
5		8				7		
	4				1		2	
	7							
3	8	1	6				5	7
		4	7	6				8
	5			9			7	1
				8				

EASY

⏱ COMPLETION TIME:

PUZZLE 9

8	6	2	4	7				5
		3		2				
9			5			8		7
						7	6	
1				9	6			
			8	1	2			3
	5	6	1			2	3	
		8	2	5		1	4	
		1		3				

EASY

6	4	1			3			8
3				7		5		6
						3	1	4
4			9	2			6	
	7		6				3	
		6	4			2		9
		5		9		8		1
2		9	7		8		5	
	3			1	6	7		

EASY

⏱ COMPLETION TIME:

PUZZLE 11

	7							
5		8					6	
1	3	6		5		7	8	
6				9		8	2	
		5	8		4			
3					2		4	
		9			6	4		
2				7				6
7	6		9	4	3		5	

EASY

PUZZLE 12

	7		4				2	
	4		7					9
5				9		7		
	9			7	1		3	2
	2			8		4	6	
	1		2			9		5
	5	9			7			
		6	9	2				7
	3	4		6	5		9	

EASY

COMPLETION TIME:

PUZZLE 13

	1			4		5		
	8	3	1	9		4	2	
		6	2		7			8
			6					
5	3							
	9				3		4	2
9	6		7		4		3	5
3		5				1		4
8				5		7		

EASY

			2			4	8	
2		1			7		9	
3	5	4		8	9			7
8						5		
		2						
5	1	6		7		9	4	
9				4	2		6	
4				5			1	
			3					

EASY

⏰ COMPLETION TIME:

PUZZLE 15

5		6	1		8	9		7
9		3		7	2			
		1	6	3				
			2		1	3		5
				9		2		
			3			1		9
	7		9	2			5	6
		5				8	2	
2				5				1

EASY

PUZZLE 16

	8							
	2	5	7	8				
3			6	2	9		4	8
7				5	2			1
	1	6				9		
			9		1	4		7
9				1			5	2
	6	2		9	3			
5	3			7				

EASY

🕐 COMPLETION TIME:

PUZZLE 17

			6		7			
	2	1	5	3				
	8		4			2		3
	6	5						1
	1			6	2	8		4
8	7	4			1			
					3		9	6
	4	2	9		6		1	
	9					3	2	7

EASY

				8		6		
5				2	7			1
8		6		4				3
		7	8			4	1	
3	6	5					2	
	8			5			6	
	5	8	4	1		7		9
	3	1						
6			5					

EASY

⏱ COMPLETION TIME:

PUZZLE 19

	2	7		1		8		
3		9		6				
								6
4							6	
7	6		2		9		4	8
9	5	3	6			7		
		4		2	6			
2			8				9	
	9	8	5	4	7			

EASY

PUZZLE 20

	7	5	1			8	3	
3			5	9				
		8			6	1		
1			7		4		8	5
7		3		6				4
4	8					7		6
			6	1	7		4	
		7		5			9	
5	1				9			

EASY

O *pocket size* **SUDOKU**

COMPLETION TIME:

PUZZLE 21

					4		5	
		4				6		8
6		7			8	3	2	4
	5							
7				9	6	4		
	6	9	1		2			
2		5	6	3			4	
9		6		1		2		
3		1	2	4	7	9		

EASY

☺ COMPLETION TIME:

	4		5	3				
	7		2		6			4
3		5		1	4	2	6	8
7				4	1		8	
5						1		
6		3				9	4	2
			1		7			
	3			8			7	
		7	4	2	3		9	

EASY

⏱ COMPLETION TIME:

PUZZLE 23

			2			5	
6		1	9		4		
			6	5		7	1
	7			1		6	3
	3		7		9		5
		2					
2		6	3		7		
3							
	9			6	2		

EASY

PUZZLE 24

				3	9			7
					7	2	4	
4	8			2				6
		1	2		3		6	5
	9			8	1			
7	2	3			4			
6			9		2	5	8	
		8	3			1		9
	7		5				2	

EASY

⏱ COMPLETION TIME:

PUZZLE 25

4		1	7		6			
6					2	7		9
8				9				
	4	2		1	3			8
	7	6	5	8	4		3	
	1		2			9	5	
	5						8	7
			1		8	3	9	
	8	9	4	3				1

EASY

PUZZLE 26

					3	6	1	
4		9			1	5	3	
	6	1	2				7	
		7	9	8			5	
			3					
2							4	6
7		6			5	9	2	
	4		6	7	9			
	3	5		4				1

EASY

⏰ COMPLETION TIME:

PUZZLE 27

	8		7			4		
		7		5	8		6	1
5				4			2	
				6			7	
		9	2	7	4	3	8	
			8					
8	3	5			9	6		
		2	4					3
		6			7	8	9	2

EASY

	7			2	6		3	1
		6	9					8
					8	2	6	7
		2				7		
	3		2					6
	8		7				2	
		5	8				9	
4			3			8	7	
	9			6		4		2

EASY

PUZZLE 29

	2				8			
	9	5						
	8	1		5	6		4	9
		3				6	9	
	7			2	9			1
5					7	2	8	4
			7		4			6
7			8	3		9		
		2		6				

EASY

⏱ COMPLETION TIME:

pocket size **SUDOKU** ○ 31

	4		7		1		6	2
	8				5		4	
				2	4		7	8
			9	7				6
						4	1	
1		4			9	8		7
		5	1	6	7	3		
7		3			2		5	

EASY

🕐 COMPLETION TIME:

PUZZLE 31

						7		
		8	4			1		5
		2			3		9	
	5	7			9	3	4	6
	1			6		8		
3				5	8	9		
	8					4		9
			9			5		
9	3	1			5			8

EASY

PUZZLE 32

				2		5		4
			3		5	2	7	
	2					9		
8		6	9	3		4		5
7	5			4				
9		4	1			7	8	
		5	8			6	3	9
6	9							
4								

EASY

⏱ COMPLETION TIME:

	5	3					1	8
					8			
2	6	8		1	5	9		
6		1		3				9
	2	5	9	7	1			
4			6		2	1		
				4	3	7		2
5					6	8	3	
7	3					6		

EASY

PUZZLE 34

8		5	9		2	1		6
						3		9
9				3	5			
5					4	9		1
2			1					7
	6						3	4
	9		3		1			
3	7	8		2				
	5	2	6	8		4	9	

EASY

⏰ COMPLETION TIME:

PUZZLE 35

8		7			3			9
3		2		5		6	7	
6	9	5		7	2			4
	2		4	9		7		3
5		8	6					1
	7			8			6	2
				4			1	
4	8					3	2	5
	5	1			9		4	6

EASY

COMPLETION TIME:

PUZZLE 36

			1					9
	5				6			
	7	1		5	9			8
	8				4	9		
	1	4				3		
5		3			2		8	
	9	7					5	3
4	2		3		7		9	6
	3	8			5			2

EASY

⏱ COMPLETION TIME:

PUZZLE 37

	4	6	3	1	9			
9		8						
5	1	7	4					
4		5	2			3		9
		1		4	3	5	6	
				6	5			
					8		9	4
	9	4		2				8
	8		6	9	4		7	

EASY

PUZZLE 38

	3				6			
			3			6		
2				7	4			
	5				3	2		
7			8	9				4
	2			4				
	4	9						
					5		8	
5				2			3	9

MEDIUM

⏱ COMPLETION TIME:

PUZZLE 39

5		7					3	
		9						8
					8		7	4
3				1				7
			5				6	2
1				8	7		5	
		5			4	8		
8		2						1
	4			7	2			

MEDIUM

PUZZLE 40

		5	9					2
			7			9		
8				4	1			
3	1							
				3			2	
	9					5	7	
	5				3		9	
		4						
	7	1		9	2	3		

MEDIUM

⏰ COMPLETION TIME:

PUZZLE 41

7	1		2					
			4	6	1			
						8		
9					7			8
		6		4		2		5
3								7
1			4		2			
2			9	7	8		4	

MEDIUM

PUZZLE 42

	4				6		5	
	9	3		8				
		9	8			3	4	
						6		
	2		1	7				
5					9			2
7								9
			2				7	4

MEDIUM

⏰ COMPLETION TIME:

PUZZLE 43

8	1				6			
5				7			8	
	7	4		2		1		
	8		4		5		2	9
								7
	3				2	4		
				8	6			
			1				7	
		2	3					

MEDIUM

PUZZLE 44

		1		3			9	
	3		5	1		2		4
7								1
		6			9	5	8	
	1		3		4			
	7	8	9					
						4		5
				5				

MEDIUM

🕐 COMPLETION TIME:

PUZZLE 45

7		2	4			8		
	3				6		2	
							1	7
			7	1				
	8			6		4		3
				4		5		
	6	1	2					
5	4	3						
		7					3	

MEDIUM

PUZZLE 46

					7			3
			6				8	
		5				9		1
1		3	9			2		
7				6		1	4	
4				7	8		5	
2					6	4		
		7						
8					5		3	

MEDIUM

⏱ COMPLETION TIME:

PUZZLE 47

6			4			1	3	
1						5	9	
					9	6		7
5	9		8		7			
		6		5	1	2		
				9	4			3
								8
	3	7			6		2	

MEDIUM

PUZZLE 48

		6					5	
		1	9			8		
			7	8				4
4				7			2	
		2			9			
	5				2	7		3
5	6	9			1			
			3		5		9	
								6

MEDIUM

☺ COMPLETION TIME:

PUZZLE 49

								5
	4			1				
	8		2		3		9	
8				4		2		
		5	3		7		1	
	3							
1	2							3
9			7					
		8	5		9			

MEDIUM

PUZZLE 50

5	2	3						
		7	1				5	
	6							
3								
	9		3		5		8	
		5		7	8	2		
				2	1	7		
				4				6
	1	6		5	3			8

MEDIUM

PUZZLE 51

						3		
	8	6				2		5
5		1					9	6
	2	4						
			6	3	1			
		7		1				
			3	1				8
			2				5	
		2			5	9		3

MEDIUM

⏱ COMPLETION TIME:

PUZZLE 52

1			9	4				7
	9				7		8	
	7					5		
							9	
7			4		8		6	1
		4		6	5			
		3						8
2	1	9						
	4					2		3

MEDIUM

COMPLETION TIME:

PUZZLE 53

		8				1		
			3		9			
3	4						6	
2					1		5	
						3		
					7	4		2
		2		1	8			6
	8							3
5				7		2		9

MEDIUM

PUZZLE 54

			5	3				1
				1				
	9	3	8					
4		6						8
3	1							6
		5					3	
6	7		4			9	2	
				9			8	
				2		6	3

MEDIUM

☺ COMPLETION TIME:

PUZZLE 55

	8						2	1
	6	9		7				3
			9					
3					2			5
		2	4		3	7		
				5				
1								
2			1		7			
	3			6			9	

MEDIUM

PUZZLE 56

			7		8			
9					1	4		
		3	5					6
	3		9	7		2		
		2						
		7				6	8	4
				4				1
		8			7		2	9
	1			5	9			

MEDIUM

⏱ COMPLETION TIME:

PUZZLE 57

1		8				3	6	
		2			1			
		3			7		2	9
	5		6	4			9	3
	3							5
								4
7						4		
					9			
2	6						5	

MEDIUM

PUZZLE 58

5		7						
6							2	3
						5	4	
				8	3			
		5			2		9	
			6		7			4
2		8			6			
		9		1			3	8
			3			4		

MEDIUM

☾ COMPLETION TIME:

PUZZLE 59

				1		7	4	
		9		7	6			2
		5	8			6		
	4				7			1
			4					
9		1		8	3			4
6			2					
	3				8		5	
2		7						

MEDIUM

	6		8	7	1			
				3	5		9	
3	8							
9						7		
	7	2						
			4	9				
	3			5				9
4	5			2				6
			1				2	4

MEDIUM

⏰ COMPLETION TIME:

PUZZLE 61

3	6							
	5	2			7	8		
			4					1
	7		9		3		5	
		4	6		5		2	
							8	9
		6				4		
9						1	7	

MEDIUM

PUZZLE 62

			7	5				
	3	1	8		9			5
						1		
	4	8		3				7
		5					9	
	9			2			6	
	6		3					
		3				7		
5		4		8			2	

MEDIUM

⏱ COMPLETION TIME:

PUZZLE 63

				1	4		3	
	2	3	7					
4		8						
		2						8
3				7		5	6	2
	6	7						
			3					1
5					8		9	
			5	2				6

MEDIUM

⏱ COMPLETION TIME:

		1		2	5			
		9	7				4	
		2	4		1			
7			8	1				
		8	5					9
2					9			
	8			3				
	4							7
							9	1

MEDIUM

⏱ COMPLETION TIME:

PUZZLE 65

				8	7	3	9	
		9					8	5
				5				4
		1	3					8
		7		1				
		4				2		
	7		6					1
2			3				4	
			1			8	5	

MEDIUM

PUZZLE 66

1		4		9		5		
	5	3		4				1
	6			3			9	
				7	5			
5	8					4		
		9	6					
	1				3			
		7					8	
	9	6		2				5

MEDIUM

ⓧ COMPLETION TIME:

PUZZLE 67

1		9						6
	3							
					9	8		1
8								5
		3	4			6	8	
	2			5	1	7		
				9				
7		1	2					
		4		6				3

MEDIUM

PUZZLE 68

8		5	1				9	3
	6			2		1		
			5					
							5	9
4	8		7					
	3						4	6
			8	7				
6		4					8	
			3					4

MEDIUM

⏱ COMPLETION TIME:

PUZZLE 69

		6				3		
	7					9	2	
1	4	9			3	7		6
6		1						5
	3					6		
							4	2
				1				
4	9			7				
		3	9		6	4		

MEDIUM

PUZZLE 70

7						8		
		1	4	9	5			
						1		3
				2	8			4
	4							
6		7			1			
		8					6	5
				1				
5				3	2	7		

MEDIUM

PUZZLE 71

		9				7	6	
	2	5						4
	8	4		5		9	1	
						4		
	6			4		5		
			1				7	8
			4			1		
	3			2	7			
5							8	

MEDIUM

PUZZLE 72

				6	8			5
							8	9
			2	9			6	4
	1	4				5		6
		7		1				
	2			5				
	9	6	4					
	7	1						
	4			8		2		

MEDIUM

PUZZLE 73

				3	4			1
	3					6	7	
			1	2				
								2
		5			1	8	9	
	7				3			5
5						4		
		7	6	1	5		8	
		8					6	

MEDIUM

PUZZLE 74

			7					
2		9					6	
1	7				4			9
			9	2		5		
3	8			7				
	5	2	4					
5	2		8			4		
		4						8
			5		3	1	2	

EXPERT

PUZZLE 75

				7				5
		3		1				8
	1	7	5				9	
			4					
9			1			4	7	
			9	2		8	3	
1	3				5		8	
	7						6	
4		5						

EXPERT

⏱ COMPLETION TIME:

pocket size **SUDOKU** ○ 77

			7	9				
						6	7	
4				1				3
2		3						6
7		9			1			
		1		6			3	
1		5			8		4	
	8	6						2
								5

EXPERT

⏱ COMPLETION TIME:

PUZZLE 77

		2		9				4
					3		6	
	4	6			1			
	8					1	9	
		4	2			7		3
					6			
4		3		7		8	1	
		8					3	
1						4		

EXPERT

PUZZLE 78

			7				8	
						6	2	
2					3			9
		4						
	5	9	8					
8			6	7	9			
				5			6	
	4	7			1			
					2	1		3

EXPERT

⏱ COMPLETION TIME:

PUZZLE 79

		1				8		
			7		1			
	4	7						2
	9			3		2		6
				6				
5				9		1	8	
3			6					5
		4					6	
	5			4	3		7	

EXPERT

PUZZLE 80

		2						
	1			5		8		
		7						9
					1			
	5						8	6
3		1	7		4			
	9				6	3		
			9		7	4		
2				3				8

EXPERT

PUZZLE 81

				4		7		
	4	9		3		2	8	
		2		5		4		
		4	9		2			
								3
7				1				6
					8	6		
1		6	3			8		
							9	

EXPERT

PUZZLE 82

	6					3		
								7
2		7		4				
9	5	2			8			3
		3	4		1			9
		6			5			
			8	1			3	
7					9			8
		4				5		

EXPERT

⏱ COMPLETION TIME:

PUZZLE 83

8							2	
3				1				
		4				3		
		3		2				6
				1		2		
		9	6	5				8
7						4	9	
4		8	3					
				9	7			5

EXPERT

PUZZLE 84

								8
9						2		6
	1			3				
				9		4		
5								
		2	8	6	9			3
	8	4						
		5	6		7		8	
	7			2	8		3	4

EXPERT

⏱ COMPLETION TIME:

PUZZLE 85

				6	1		9	7
						1		
			5	4				
			8					
5	7							
	9	3		5	7			6
	3	8	2	1				
		5	4		8	2		
		9						

EXPERT

PUZZLE 86

		9	3			1		
				8	1			7
	5			4			2	
4							6	
8		3					1	
	7		6					3
					5			
	1		4		9			
6			8				3	9

EXPERT

⏱ COMPLETION TIME:

PUZZLE 87

							7	
3	7				5			
	9	5						
			5	8				4
		4		6		1	8	
5		6		2			3	
9				4			2	
		1		2		9		8

EXPERT

COMPLETION TIME:

PUZZLE 88

5		3			7		6	
	9	7						1
6	1					4		
		9	5					
			6			3		
				8	1	5		4
	2	5	7					8
	6	8		2			4	
						3		

EXPERT

⏱ COMPLETION TIME:

PUZZLE 89

			3		5			
		9	2		1			
		2	5				1	
3						9		
	9	7		8			4	1
5							7	
					6			8
			7	2				4
2				9				

EXPERT

PUZZLE 90

							6	
		5						9
4		2					8	
1			3			7		
			4				5	2
			1	6				
			5				4	8
7			8	9				
8	6				1			

EXPERT

⏱ COMPLETION TIME:

PUZZLE 91

		9		1			5	4
		1			2	8		
5					4	9		2
	3	7	9		8			
			7					
							4	
7							3	
6	5	2						
	8		2		7			

EXPERT

			2				5	
	7	3			6			
	1	5		8	7	2		
4								3
		2		6		9	7	
	9				8			
			3		5			1
							6	
9	3							

EXPERT

⏱ COMPLETION TIME:

PUZZLE 93

	4	7			1			
				3	6			
2		9						
			6	5	3			
								8
9				2		1		
			5					3
		6	1			4		9
3	8		6	2				5

EXPERT

PUZZLE 94

			6		5		7	
						3		
1		3						
2		1		4				9
9								
	8		1			6		
		2			6	9		1
							2	5
8	3				2			

EXPERT

⏱ COMPLETION TIME:

PUZZLE 95

	7	8	4			3		
			3					
			1		6			
2								5
	9	7					6	
5		3				2	7	
	3		2				8	1
8					4		9	
					1		5	2

EXPERT

PUZZLE 96

			4			1		3
				8				
	8	9	1	3				4
	2		3			4		
		6						5
		5		2	1			
				7	8		6	9
			5					
	3		6					8

EXPERT

PUZZLE 97

5	8				1			
	4					1		8
	9			3		2		
	7				5			3
6			8					
				2			9	7
7				4		3	2	
4			5		2			1
						6		

EXPERT

PUZZLE 98

						7		
8	5	6		3				
	7				2			5
				8				6
1	6						5	
	3	7			4			
			8			6		2
	9			1	7	8		

EXPERT

⏰ COMPLETION TIME:

PUZZLE 99

			7					6
	6				4			2
1		7			3		4	
	7	2			1	3	9	
	8					5		
	4				7	8		
8			4		2			
		3			8		7	

EXPERT

PUZZLE 100

8		4		2	9			
					3	1		2
	5	3				4		
		1				3		6
				9			1	7
	7	8						
					2			9
					5	6	8	
		9		7	8			

EXPERT

⏱ COMPLETION TIME:

PUZZLE 101

9		3						
	7						3	
8			4					
1		9		7		8		
2	4			9	1			6
				2				
	5			8		2		
	6		7			1	5	
								7

EXPERT

⏰ COMPLETION TIME:

PUZZLE 102

		5						
	8	3		6	5			
9					4			
						7	3	
	4		1					
1			2				6	
				5				9
3	1	6			2			
			4					7

EXPERT

PUZZLE 103

	4	7						
			5		7	6		
		9						
	6			5	2			
2							3	
			4	3			9	6
	1			9				3
7	9	5			3		8	
							1	

EXPERT

PUZZLE 104

	2			4				7
	3	7						8
			1			5		
2	8			9	1			
6							7	
	1	5	8		6			
		1	9					
8								5
					3		9	

EXPERT

⏱ COMPLETION TIME:

PUZZLE 105

					4			
			3		2		7	
4		9	5					
1	7					3		
8		6					5	9
2			4	1				6
6					1			
				3	8		1	
							2	8

EXPERT

PUZZLE 106

	1	4						2
2				8				
6			5				3	
			6	7	8	2	1	
							6	
	4					8		
				9				7
		7			2	4		
		9			5	3		

EXPERT

⏱ COMPLETION TIME:

SUDOKU

PUZZLES

Answer Pages

PUZZLE 1 | PAGE 3

7	3	2	9	5	1	8	6	4
5	9	1	6	8	4	3	2	7
8	4	6	7	2	3	5	9	1
2	8	7	4	6	9	1	5	3
3	5	4	2	1	8	6	7	9
6	1	9	3	7	5	4	8	2
4	7	3	8	9	6	2	1	5
9	6	5	1	3	2	7	4	8
1	2	8	5	4	7	9	3	6

PUZZLE 2 | PAGE 4

4	7	3	1	2	8	9	6	5
9	6	5	4	3	7	1	8	2
1	8	2	9	5	6	3	7	4
5	4	8	6	1	3	2	9	7
6	9	7	5	8	2	4	3	1
3	2	1	7	4	9	6	5	8
7	1	6	8	9	4	5	2	3
8	3	4	2	6	5	7	1	9
2	5	9	3	7	1	8	4	6

PUZZLE 3 | PAGE 5

1	3	7	2	9	4	8	5	6
8	6	5	7	1	3	2	4	9
4	9	2	8	6	5	7	3	1
7	8	3	4	5	1	9	6	2
9	2	4	6	7	8	5	1	3
6	5	1	9	3	2	4	7	8
5	7	9	1	2	6	3	8	4
2	4	6	3	8	7	1	9	5
3	1	8	5	4	9	6	2	7

PUZZLE 4 | PAGE 6

7	2	5	6	9	8	1	4	3
4	6	1	7	2	3	9	8	5
3	8	9	4	5	1	6	2	7
5	7	8	3	4	9	2	6	1
2	1	3	8	6	7	5	9	4
6	9	4	2	1	5	3	7	8
8	5	6	1	7	2	4	3	9
9	4	7	5	3	6	8	1	2
1	3	2	9	8	4	7	5	6

PUZZLE 5 | PAGE 7

4	3	7	5	6	8	1	9	2
2	9	8	7	3	1	6	5	4
1	6	5	9	4	2	3	7	8
6	4	9	3	8	7	5	2	1
3	7	2	1	5	4	9	8	6
5	8	1	6	2	9	7	4	3
7	5	4	2	1	3	8	6	9
8	1	6	4	9	5	2	3	7
9	2	3	8	7	6	4	1	5

PUZZLE 6 | PAGE 8

8	7	2	6	1	3	4	9	5
5	3	6	2	9	4	7	1	8
9	4	1	5	7	8	6	2	3
1	2	4	8	3	6	9	5	7
6	8	9	4	5	7	2	3	1
3	5	7	9	2	1	8	6	4
7	9	5	1	4	2	3	8	6
4	1	8	3	6	9	5	7	2
2	6	3	7	8	5	1	4	9

PUZZLE 7 | PAGE 9

5	8	9	7	6	4	1	3	2
7	6	2	8	1	3	4	5	9
1	4	3	2	9	5	8	6	7
9	1	6	3	2	7	5	8	4
3	7	5	1	4	8	2	9	6
4	2	8	6	5	9	7	1	3
2	5	4	9	3	1	6	7	8
6	3	7	5	8	2	9	4	1
8	9	1	4	7	6	3	2	5

PUZZLE 8 | PAGE 10

7	6	9	8	2	4	5	1	3
4	1	3	9	5	7	6	8	2
5	2	8	1	3	6	7	4	9
9	4	5	3	7	1	8	2	6
6	7	2	5	8	9	1	3	4
3	8	1	6	4	2	9	5	7
1	3	4	7	6	5	2	9	8
8	5	6	2	9	3	4	7	1
2	9	7	4	1	8	3	6	5

PUZZLE 9 | PAGE 11

8	6	2	4	7	1	3	9	5
5	7	3	9	2	8	6	1	4
9	1	4	5	6	3	8	2	7
2	8	9	3	4	5	7	6	1
1	3	5	7	9	6	4	8	2
6	4	7	8	1	2	9	5	3
7	5	6	1	8	4	2	3	9
3	9	8	2	5	7	1	4	6
4	2	1	6	3	9	5	7	8

PUZZLE 10 | PAGE 12

6	4	1	2	5	3	9	7	8
3	9	8	1	7	4	5	2	6
5	2	7	8	6	9	3	1	4
4	8	3	9	2	5	1	6	7
9	7	2	6	8	1	4	3	5
1	5	6	4	3	7	2	8	9
7	6	5	3	9	2	8	4	1
2	1	9	7	4	8	6	5	3
8	3	4	5	1	6	7	9	2

PUZZLE 11 | PAGE 13

4	7	2	6	8	1	3	9	5
5	9	8	3	2	7	1	6	4
1	3	6	4	5	9	7	8	2
6	1	4	7	9	5	8	2	3
9	2	5	8	3	4	6	7	1
3	8	7	1	6	2	5	4	9
8	5	9	2	1	6	4	3	7
2	4	3	5	7	8	9	1	6
7	6	1	9	4	3	2	5	8

PUZZLE 12 | PAGE 14

9	7	3	4	5	8	1	2	6
8	4	2	7	1	6	3	5	9
5	6	1	3	9	2	7	8	4
4	9	5	6	7	1	8	3	2
3	2	7	5	8	9	4	6	1
6	1	8	2	3	4	9	7	5
2	5	9	8	4	7	6	1	3
1	8	6	9	2	3	5	4	7
7	3	4	1	6	5	2	9	8

PUZZLE 13 | PAGE 15

2	1	9	8	4	6	5	7	3
7	8	3	1	9	5	4	2	6
4	5	6	2	3	7	9	1	8
1	4	8	6	2	9	3	5	7
5	3	2	4	7	8	6	9	1
6	9	7	5	1	3	8	4	2
9	6	1	7	8	4	2	3	5
3	7	5	9	6	2	1	8	4
8	2	4	3	5	1	7	6	9

PUZZLE 14 | PAGE 16

6	7	9	2	1	5	4	8	3
2	8	1	4	3	7	6	9	5
3	5	4	6	8	9	1	2	7
8	4	3	9	2	1	5	7	6
7	9	2	5	6	4	8	3	1
5	1	6	8	7	3	9	4	2
9	3	5	1	4	2	7	6	8
4	2	8	7	5	6	3	1	9
1	6	7	3	9	8	2	5	4

PUZZLE 15 | PAGE 17

5	2	6	1	4	8	9	3	7
9	8	3	5	7	2	6	1	4
7	4	1	6	3	9	5	8	2
4	6	9	2	8	1	3	7	5
3	1	7	4	9	5	2	6	8
8	5	2	3	6	7	1	4	9
1	7	8	9	2	3	4	5	6
6	9	5	7	1	4	8	2	3
2	3	4	8	5	6	7	9	1

PUZZLE 16 | PAGE 18

4	8	9	1	3	5	2	7	6
6	2	5	7	8	4	1	9	3
3	7	1	6	2	9	5	4	8
7	9	4	3	5	2	8	6	1
2	1	6	4	7	8	9	3	5
8	5	3	9	6	1	4	2	7
9	4	7	8	1	6	3	5	2
1	6	2	5	9	3	7	8	4
5	3	8	2	4	7	6	1	9

PUZZLE 17 | PAGE 19

4	3	9	6	2	7	1	8	5
7	2	1	5	3	8	6	4	9
5	8	6	4	1	9	2	7	3
2	6	5	8	9	4	7	3	1
9	1	3	7	6	2	8	5	4
8	7	4	3	5	1	9	6	2
1	5	7	2	8	3	4	9	6
3	4	2	9	7	6	5	1	8
6	9	8	1	4	5	3	2	7

PUZZLE 18 | PAGE 20

7	9	2	3	8	1	6	5	4
5	4	3	6	2	7	8	9	1
8	1	6	9	4	5	2	7	3
9	2	7	8	6	3	4	1	5
3	6	5	1	7	4	9	2	8
1	8	4	2	5	9	3	6	7
2	5	8	4	1	6	7	3	9
4	3	1	7	9	2	5	8	6
6	7	9	5	3	8	1	4	2

PUZZLE 19 | PAGE 21

6	2	7	4	1	5	8	3	9
3	4	9	7	6	8	2	5	1
8	1	5	3	9	2	4	7	6
4	8	2	1	7	3	9	6	5
7	6	1	2	5	9	3	4	8
9	5	3	6	8	4	7	1	2
5	3	4	9	2	6	1	8	7
2	7	6	8	3	1	5	9	4
1	9	8	5	4	7	6	2	3

PUZZLE 20 | PAGE 22

6	7	5	1	4	2	8	3	9
3	2	1	5	9	8	4	6	7
9	4	8	3	7	6	1	5	2
1	9	6	7	2	4	3	8	5
7	5	3	8	6	1	9	2	4
4	8	2	9	3	5	7	1	6
2	3	9	6	1	7	5	4	8
8	6	7	4	5	3	2	9	1
5	1	4	2	8	9	6	7	3

PUZZLE 21 | PAGE 23

8	2	3	7	6	4	1	5	9
5	9	4	3	2	1	6	7	8
6	1	7	9	5	8	3	2	4
1	5	2	4	8	3	7	9	6
7	3	8	5	9	6	4	1	2
4	6	9	1	7	2	5	8	3
2	7	5	6	3	9	8	4	1
9	4	6	8	1	5	2	3	7
3	8	1	2	4	7	9	6	5

PUZZLE 22 | PAGE 24

2	4	6	5	3	8	7	1	9
8	7	1	2	9	6	3	5	4
3	9	5	7	1	4	2	6	8
7	2	9	3	4	1	6	8	5
5	8	4	9	6	2	1	3	7
6	1	3	8	7	5	9	4	2
9	6	8	1	5	7	4	2	3
4	3	2	6	8	9	5	7	1
1	5	7	4	2	3	8	9	6

PUZZLE 23 | PAGE 25

7	4	3	1	2	8	6	5	9
6	5	1	3	9	7	4	8	2
8	9	2	4	6	5	3	7	1
4	2	7	9	5	1	8	6	3
1	3	8	6	7	4	9	2	5
9	6	5	2	8	3	1	4	7
2	8	6	5	3	9	7	1	4
3	7	4	8	1	2	5	9	6
5	1	9	7	4	6	2	3	8

PUZZLE 24 | PAGE 26

1	6	2	4	3	9	8	5	7
9	3	5	8	6	7	2	4	1
4	8	7	1	2	5	3	9	6
8	4	1	2	9	3	7	6	5
5	9	6	7	8	1	4	3	2
7	2	3	6	5	4	9	1	8
6	1	4	9	7	2	5	8	3
2	5	8	3	4	6	1	7	9
3	7	9	5	1	8	6	2	4

PUZZLE 25 | PAGE 27

4	9	1	7	5	6	8	2	3
6	3	5	8	4	2	7	1	9
8	2	7	3	9	1	5	4	6
5	4	2	9	1	3	6	7	8
9	7	6	5	8	4	1	3	2
3	1	8	2	6	7	9	5	4
1	5	3	6	2	9	4	8	7
2	6	4	1	7	8	3	9	5
7	8	9	4	3	5	2	6	1

PUZZLE 26 | PAGE 28

5	7	8	4	9	3	6	1	2
4	2	9	7	6	1	5	3	8
3	6	1	2	5	8	4	7	9
6	1	7	9	8	4	2	5	3
8	5	4	3	2	6	1	9	7
2	9	3	5	1	7	8	4	6
7	8	6	1	3	5	9	2	4
1	4	2	6	7	9	3	8	5
9	3	5	8	4	2	7	6	1

PUZZLE 27 | PAGE 29

6	8	1	7	9	2	4	3	5
2	4	7	3	5	8	9	6	1
5	9	3	6	4	1	7	2	8
3	2	8	9	6	5	1	7	4
1	5	9	2	7	4	3	8	6
7	6	4	8	1	3	2	5	9
8	3	5	1	2	9	6	4	7
9	7	2	4	8	6	5	1	3
4	1	6	5	3	7	8	9	2

PUZZLE 28 | PAGE 30

5	7	8	4	2	6	9	3	1
2	1	6	9	7	3	5	4	8
3	4	9	1	5	8	2	6	7
1	5	2	6	3	9	7	8	4
9	3	7	2	8	4	1	5	6
6	8	4	7	1	5	3	2	9
7	2	5	8	4	1	6	9	3
4	6	1	3	9	2	8	7	5
8	9	3	5	6	7	4	1	2

PUZZLE 29 | PAGE 31

6	2	7	9	4	8	1	5	3
4	9	5	1	7	3	8	6	2
3	8	1	2	5	6	7	4	9
2	1	3	4	8	5	6	9	7
8	7	4	6	2	9	5	3	1
5	6	9	3	1	7	2	8	4
1	5	8	7	9	4	3	2	6
7	4	6	8	3	2	9	1	5
9	3	2	5	6	1	4	7	8

PUZZLE 30 | PAGE 32

3	4	9	7	8	1	5	6	2
2	8	7	6	9	5	1	4	3
5	1	6	3	2	4	9	7	8
9	3	2	4	1	6	7	8	5
4	5	1	9	7	8	2	3	6
6	7	8	2	5	3	4	1	9
1	6	4	5	3	9	8	2	7
8	2	5	1	6	7	3	9	4
7	9	3	8	4	2	6	5	1

PUZZLE 31 | PAGE 33

1	4	3	5	9	6	7	8	2
6	9	8	4	7	2	1	3	5
5	7	2	8	1	3	6	9	4
8	5	7	1	2	9	3	4	6
2	1	9	3	6	4	8	5	7
3	6	4	7	5	8	9	2	1
7	8	5	2	3	1	4	6	9
4	2	6	9	8	7	5	1	3
9	3	1	6	4	5	2	7	8

PUZZLE 32 | PAGE 34

3	6	8	7	2	9	5	1	4
1	4	9	3	6	5	2	7	8
5	2	7	4	8	1	9	6	3
8	1	6	9	3	7	4	2	5
7	5	2	6	4	8	3	9	1
9	3	4	1	5	2	7	8	6
2	7	5	8	1	4	6	3	9
6	9	1	5	7	3	8	4	2
4	8	3	2	9	6	1	5	7

PUZZLE 33 | PAGE 35

9	5	3	4	6	7	2	1	8
1	4	7	2	9	8	3	6	5
2	6	8	3	1	5	9	4	7
6	7	1	8	3	4	5	2	9
3	2	5	9	7	1	4	8	6
4	8	9	6	5	2	1	7	3
8	1	6	5	4	3	7	9	2
5	9	4	7	2	6	8	3	1
7	3	2	1	8	9	6	5	4

PUZZLE 34 | PAGE 36

8	3	5	9	4	2	1	7	6
4	2	7	8	1	6	3	5	9
9	1	6	7	3	5	8	4	2
5	8	3	2	7	4	9	6	1
2	4	9	1	6	3	5	8	7
7	6	1	5	9	8	2	3	4
6	9	4	3	5	1	7	2	8
3	7	8	4	2	9	6	1	5
1	5	2	6	8	7	4	9	3

PUZZLE 35 | PAGE 37

8	4	7	1	6	3	2	5	9
3	1	2	9	5	4	6	7	8
6	9	5	8	7	2	1	3	4
1	2	6	4	9	5	7	8	3
5	3	8	6	2	7	4	9	1
9	7	4	3	8	1	5	6	2
2	6	3	5	4	8	9	1	7
4	8	9	7	1	6	3	2	5
7	5	1	2	3	9	8	4	6

PUZZLE 36 | PAGE 38

8	4	6	1	2	3	5	7	9
3	5	9	8	7	6	2	1	4
2	7	1	4	5	9	6	3	8
7	8	2	5	3	4	9	6	1
9	1	4	7	6	8	3	2	5
5	6	3	9	1	2	4	8	7
6	9	7	2	4	1	8	5	3
4	2	5	3	8	7	1	9	6
1	3	8	6	9	5	7	4	2

PUZZLE 37 | PAGE 39

2	4	6	3	1	9	8	5	7
9	3	8	7	5	2	4	1	6
5	1	7	4	8	6	9	2	3
4	6	5	2	7	1	3	8	9
8	7	1	9	4	3	5	6	2
3	2	9	8	6	5	7	4	1
7	5	2	1	3	8	6	9	4
6	9	4	5	2	7	1	3	8
1	8	3	6	9	4	2	7	5

PUZZLE 38 | PAGE 40

4	3	5	2	8	6	9	7	1
1	8	7	3	5	9	6	4	2
2	9	6	1	7	4	8	5	3
9	5	4	7	6	3	2	1	8
7	1	3	8	9	2	5	6	4
6	2	8	5	4	1	3	9	7
8	4	9	6	3	7	1	2	5
3	7	2	9	1	5	4	8	6
5	6	1	4	2	8	7	3	9

PUZZLE 39 | PAGE 41

5	8	7	4	2	1	6	3	9
4	6	9	7	3	5	2	1	8
2	1	3	9	6	8	5	7	4
3	5	6	2	1	9	4	8	7
9	7	8	5	4	3	1	6	2
1	2	4	6	8	7	9	5	3
7	3	5	1	9	4	8	2	6
8	9	2	3	5	6	7	4	1
6	4	1	8	7	2	3	9	5

PUZZLE 40 | PAGE 42

7	4	5	9	8	6	1	3	2
1	6	3	7	2	5	9	4	8
8	2	9	3	4	1	6	5	7
3	1	2	5	7	4	8	6	9
5	8	7	6	3	9	4	2	1
4	9	6	2	1	8	5	7	3
2	5	8	1	6	3	7	9	4
9	3	4	8	5	7	2	1	6
6	7	1	4	9	2	3	8	5

7	1	9	2	8	5	3	6	4
5	8	3	4	6	1	7	9	2
6	4	2	7	9	3	8	5	1
4	5	7	8	3	2	9	1	6
9	2	1	6	5	7	4	3	8
8	3	6	1	4	9	2	7	5
3	9	8	5	1	4	6	2	7
1	7	4	3	2	6	5	8	9
2	6	5	9	7	8	1	4	3

6	7	5	4	3	1	2	9	8
8	4	1	9	2	6	7	5	3
2	9	3	5	8	7	4	1	6
1	5	9	8	6	2	3	4	7
4	8	7	3	9	5	6	2	1
3	2	6	1	7	4	9	8	5
5	3	4	7	1	9	8	6	2
7	1	2	6	4	8	5	3	9
9	6	8	2	5	3	1	7	4

8	1	3	5	9	6	7	4	2
5	2	6	1	7	4	9	8	3
9	7	4	8	2	3	1	5	6
7	8	1	4	6	5	3	2	9
2	4	5	9	3	1	8	6	7
6	3	9	7	8	2	4	1	5
4	9	7	2	5	8	6	3	1
3	5	8	6	1	9	2	7	4
1	6	2	3	4	7	5	9	8

6	5	1	4	3	2	7	9	8
2	8	4	6	9	7	1	5	3
9	3	7	5	1	8	2	6	4
7	9	2	8	5	6	3	4	1
3	4	6	1	2	9	5	8	7
8	1	5	3	7	4	9	2	6
5	7	8	9	4	1	6	3	2
1	6	9	2	8	3	4	7	5
4	2	3	7	6	5	8	1	9

7	1	2	4	5	3	8	6	9
9	3	8	1	7	6	5	2	4
4	5	6	8	2	9	3	1	7
3	2	4	7	1	5	6	9	8
1	8	5	9	6	2	4	7	3
6	7	9	3	8	4	2	5	1
8	6	1	2	3	7	9	4	5
5	4	3	6	9	1	7	8	2
2	9	7	5	4	8	1	3	6

9	1	8	5	4	7	6	2	3
3	7	2	6	9	1	5	8	4
6	4	5	8	2	3	9	7	1
1	8	3	9	5	4	2	6	7
7	5	9	3	6	2	1	4	8
4	2	6	1	7	8	3	5	9
2	3	1	7	8	6	4	9	5
5	6	7	4	3	9	8	1	2
8	9	4	2	1	5	7	3	6

6	5	9	4	7	8	1	3	2
1	7	8	6	2	3	5	9	4
3	2	4	5	1	9	6	8	7
5	9	2	8	6	7	3	4	1
4	8	6	3	5	1	2	7	9
7	1	3	9	4	2	8	5	6
8	6	5	2	9	4	7	1	3
2	4	1	7	3	5	9	6	8
9	3	7	1	8	6	4	2	5

7	8	6	1	2	4	3	5	9
3	4	1	9	5	6	8	7	2
2	9	5	7	8	3	6	1	4
4	1	3	6	7	8	9	2	5
6	7	2	5	3	9	1	4	8
9	5	8	4	1	2	7	6	3
5	6	9	8	4	1	2	3	7
8	2	7	3	6	5	4	9	1
1	3	4	2	9	7	5	8	6

3	1	2	9	7	4	8	6	5
5	4	9	8	1	6	3	7	2
7	8	6	2	5	3	1	9	4
8	7	1	6	4	5	2	3	9
2	9	5	3	8	7	4	1	6
6	3	4	1	9	2	5	8	7
1	2	7	4	6	8	9	5	3
9	5	3	7	2	1	6	4	8
4	6	8	5	3	9	7	2	1

5	2	3	4	9	6	8	7	1
9	8	7	1	3	2	6	5	4
1	6	4	5	8	7	3	9	2
3	7	8	2	1	4	5	6	9
2	9	1	3	6	5	4	8	7
6	4	5	9	7	8	2	1	3
8	3	9	6	2	1	7	4	5
7	5	2	8	4	9	1	3	6
4	1	6	7	5	3	9	2	8

2	4	9	6	5	8	3	1	7
7	8	6	1	3	9	2	4	5
5	3	1	7	4	2	8	9	6
1	2	4	5	8	7	6	3	9
9	5	8	4	6	3	1	7	2
3	6	7	9	2	1	5	8	4
6	9	5	3	1	4	7	2	8
8	7	3	2	9	6	4	5	1
4	1	2	8	7	5	9	6	3

1	5	8	9	4	3	6	2	7
3	9	6	5	2	7	1	8	4
4	7	2	8	1	6	5	3	9
6	8	1	7	3	2	4	9	5
7	2	5	4	9	8	3	6	1
9	3	4	1	6	5	8	7	2
5	6	3	2	7	1	9	4	8
2	1	9	3	8	4	7	5	6
8	4	7	6	5	9	2	1	3

9	2	8	7	6	5	1	3	4
1	5	6	3	4	9	8	2	7
3	4	7	1	8	2	9	6	5
2	7	3	4	9	1	6	5	8
4	9	5	8	2	6	3	7	1
8	6	1	5	3	7	4	9	2
7	3	2	9	1	8	5	4	6
6	8	9	2	5	4	7	1	3
5	1	4	6	7	3	2	8	9

2	6	7	5	3	4	8	9	1
8	5	4	9	1	6	3	7	2
1	9	3	8	2	7	6	5	4
4	2	6	3	9	5	7	1	8
3	1	9	2	7	8	5	4	6
7	8	5	6	4	1	2	3	9
6	7	1	4	8	3	9	2	5
5	3	2	1	6	9	4	8	7
9	4	8	7	5	2	1	6	3

7	8	3	6	4	5	9	2	1
4	6	9	2	7	1	8	5	3
5	2	1	9	3	8	4	6	7
3	7	4	8	9	2	6	1	5
6	5	2	4	1	3	7	8	9
9	1	8	7	5	6	2	3	4
1	4	6	3	2	9	5	7	8
2	9	5	1	8	7	3	4	6
8	3	7	5	6	4	1	9	2

6	4	1	7	3	8	9	5	2
9	7	5	6	2	1	4	3	8
2	8	3	5	9	4	1	7	6
8	3	4	9	7	6	2	1	5
1	6	2	4	8	5	7	9	3
5	9	7	3	1	2	6	8	4
7	2	9	8	4	3	5	6	1
4	5	8	1	6	7	3	2	9
3	1	6	2	5	9	8	4	7

1	9	8	2	5	4	3	6	7
6	7	2	3	9	1	5	4	8
5	4	3	8	6	7	1	2	9
8	5	1	6	4	2	7	9	3
4	3	6	9	7	8	2	1	5
9	2	7	1	3	5	6	8	4
7	8	9	5	1	6	4	3	2
3	1	5	4	2	9	8	7	6
2	6	4	7	8	3	9	5	1

5	9	7	2	3	4	6	8	1
6	8	4	5	7	1	9	2	3
3	1	2	8	6	9	5	4	7
1	4	6	9	8	3	7	5	2
8	7	5	1	4	2	3	9	6
9	2	3	6	5	7	8	1	4
2	3	8	4	9	6	1	7	5
4	6	9	7	1	5	2	3	8
7	5	1	3	2	8	4	6	9

PUZZLE 59 | PAGE 61

8	6	2	3	1	9	7	4	5
4	1	9	5	7	6	3	8	2
3	7	5	8	4	2	6	1	9
5	4	3	9	2	7	8	6	1
7	8	6	4	5	1	9	2	3
9	2	1	6	8	3	5	7	4
6	5	8	2	3	4	1	9	7
1	3	4	7	9	8	2	5	6
2	9	7	1	6	5	4	3	8

PUZZLE 60 | PAGE 62

5	6	9	8	7	1	4	3	2
1	2	4	6	3	5	8	9	7
3	8	7	2	4	9	6	1	5
9	4	5	3	8	2	7	6	1
8	7	2	5	1	6	9	4	3
6	1	3	4	9	7	2	5	8
2	3	6	7	5	4	1	8	9
4	5	1	9	2	8	3	7	6
7	9	8	1	6	3	5	2	4

PUZZLE 61 | PAGE 63

3	6	9	2	4	8	5	1	7
7	8	1	5	3	6	9	4	2
4	5	2	1	9	7	8	6	3
6	3	5	4	8	2	7	9	1
2	7	8	9	1	3	6	5	4
1	9	4	6	7	5	3	2	8
5	4	7	3	6	1	2	8	9
8	1	6	7	2	9	4	3	5
9	2	3	8	5	4	1	7	6

PUZZLE 62 | PAGE 64

4	8	6	7	5	1	9	3	2
2	3	1	8	4	9	6	7	5
7	5	9	2	6	3	1	8	4
6	4	8	9	3	5	2	1	7
3	2	5	6	1	7	4	9	8
1	9	7	4	2	8	5	6	3
9	6	2	3	7	4	8	5	1
8	1	3	5	9	2	7	4	6
5	7	4	1	8	6	3	2	9

PUZZLE 63 | PAGE 65

6	7	5	2	1	4	8	3	9
9	2	3	7	8	5	6	1	4
4	1	8	6	9	3	7	2	5
1	5	2	4	3	6	9	7	8
3	9	4	8	7	1	5	6	2
8	6	7	9	5	2	1	4	3
2	8	9	3	6	7	4	5	1
5	3	6	1	4	8	2	9	7
7	4	1	5	2	9	3	8	6

PUZZLE 64 | PAGE 66

4	3	1	9	2	5	7	8	6
5	6	9	7	8	3	1	4	2
8	7	2	4	6	1	9	5	3
7	9	3	8	1	6	4	2	5
6	1	8	5	4	2	3	7	9
2	5	4	3	7	9	6	1	8
9	8	5	1	3	7	2	6	4
1	4	6	2	9	8	5	3	7
3	2	7	6	5	4	8	9	1

1	4	5	6	8	7	3	9	2
6	2	9	4	1	3	7	8	5
3	8	7	9	2	5	1	6	4
9	5	1	2	3	6	4	7	8
8	6	2	7	4	1	5	3	9
7	3	4	5	9	8	2	1	6
5	7	3	8	6	4	9	2	1
2	1	8	3	5	9	6	4	7
4	9	6	1	7	2	8	5	3

1	7	4	8	9	6	5	3	2
9	5	3	2	4	7	8	6	1
2	6	8	5	3	1	7	9	4
6	3	1	4	7	5	9	2	8
5	8	2	3	1	9	4	7	6
7	4	9	6	8	2	1	5	3
8	1	5	9	6	3	2	4	7
3	2	7	1	5	4	6	8	9
4	9	6	7	2	8	3	1	5

1	7	9	5	8	4	3	2	6
4	3	8	6	1	2	9	5	7
6	5	2	3	7	9	8	4	1
8	4	7	9	3	6	2	1	5
5	1	3	4	2	7	6	8	9
9	2	6	8	5	1	7	3	4
3	6	5	1	9	8	4	7	2
7	9	1	2	4	3	5	6	8
2	8	4	7	6	5	1	9	3

8	2	5	1	6	7	4	9	3
9	6	3	4	2	8	1	7	5
1	4	7	5	3	9	6	2	8
7	1	2	6	4	3	8	5	9
4	8	6	7	9	5	2	3	1
5	3	9	2	8	1	7	4	6
3	9	1	8	7	4	5	6	2
6	5	4	9	1	2	3	8	7
2	7	8	3	5	6	9	1	4

2	8	6	5	9	7	3	1	4
3	7	5	4	6	1	9	2	8
1	4	9	2	8	3	7	5	6
6	2	1	7	4	9	8	3	5
8	3	4	1	5	2	6	7	9
9	5	7	6	3	8	1	4	2
7	6	2	8	1	4	5	9	3
4	9	8	3	7	5	2	6	1
5	1	3	9	2	6	4	8	7

7	2	5	1	6	3	8	4	9
3	8	1	4	9	5	6	2	7
4	9	6	2	8	7	1	5	3
9	1	3	6	2	8	5	7	4
8	4	2	7	5	9	3	1	6
6	5	7	3	4	1	9	8	2
1	3	8	9	7	4	2	6	5
2	7	9	5	1	6	4	3	8
5	6	4	8	3	2	7	9	1

PUZZLE 71 | PAGE 73

3	1	9	2	8	4	7	6	5
6	2	5	9	7	1	8	3	4
7	8	4	6	5	3	9	1	2
9	7	1	8	3	5	4	2	6
8	6	3	7	4	2	5	9	1
4	5	2	1	9	6	3	7	8
2	9	7	4	6	8	1	5	3
1	3	8	5	2	7	6	4	9
5	4	6	3	1	9	2	8	7

PUZZLE 72 | PAGE 74

4	3	9	1	6	8	7	2	5
7	6	2	3	5	4	1	8	9
1	5	8	2	9	7	3	6	4
9	1	4	8	3	2	5	7	6
5	8	7	9	1	6	4	3	2
6	2	3	7	4	5	9	1	8
2	9	6	4	7	3	8	5	1
8	7	1	5	2	9	6	4	3
3	4	5	6	8	1	2	9	7

PUZZLE 73 | PAGE 75

8	5	6	7	3	4	9	2	1
1	3	2	9	5	8	6	7	4
7	9	4	1	2	6	3	5	8
4	8	1	5	6	9	7	3	2
3	2	5	4	7	1	8	9	6
6	7	9	2	8	3	1	4	5
5	6	3	8	9	2	4	1	7
9	4	7	6	1	5	2	8	3
2	1	8	3	4	7	5	6	9

PUZZLE 74 | PAGE 76

8	6	5	7	9	2	3	1	4
2	4	9	3	8	1	7	6	5
1	7	3	6	5	4	2	8	9
4	1	7	9	2	8	5	3	6
3	8	6	1	7	5	9	4	2
9	5	2	4	3	6	8	7	1
5	2	1	8	6	7	4	9	3
7	3	4	2	1	9	6	5	8
6	9	8	5	4	3	1	2	7

PUZZLE 75 | PAGE 77

6	4	9	8	7	2	3	1	5
5	2	3	6	1	9	7	4	8
8	1	7	5	3	4	6	9	2
3	6	1	4	8	7	2	5	9
9	8	2	1	5	3	4	7	6
7	5	4	9	2	6	8	3	1
1	3	6	2	4	5	9	8	7
2	7	8	3	9	1	5	6	4
4	9	5	7	6	8	1	2	3

PUZZLE 76 | PAGE 78

6	3	8	7	9	5	4	2	1
5	1	2	4	8	3	6	7	9
4	9	7	2	1	6	5	8	3
2	4	3	8	5	7	1	9	6
7	6	9	3	4	1	2	5	8
8	5	1	9	6	2	7	3	4
1	2	5	6	3	8	9	4	7
9	8	6	5	7	4	3	1	2
3	7	4	1	2	9	8	6	5

8	1	2	6	9	7	3	5	4
5	7	9	8	4	3	2	6	1
3	4	6	5	2	1	9	7	8
2	8	7	4	3	5	1	9	6
6	5	4	2	1	9	7	8	3
9	3	1	7	8	6	5	4	2
4	6	3	9	7	2	8	1	5
7	2	8	1	5	4	6	3	9
1	9	5	3	6	8	4	2	7

9	1	5	7	2	6	3	8	4
4	7	3	1	9	8	6	2	5
2	8	6	5	4	3	7	1	9
1	6	4	2	3	5	8	9	7
7	5	9	8	1	4	2	3	6
8	3	2	6	7	9	5	4	1
3	2	1	9	5	7	4	6	8
6	4	7	3	8	1	9	5	2
5	9	8	4	6	2	1	7	3

6	2	1	9	5	4	8	3	7
8	3	5	7	2	1	6	9	4
9	4	7	3	8	6	5	1	2
7	9	8	1	3	5	2	4	6
4	1	3	8	6	2	7	5	9
5	6	2	4	9	7	1	8	3
3	7	9	6	1	8	4	2	5
2	8	4	5	7	9	3	6	1
1	5	6	2	4	3	9	7	8

8	4	2	3	7	9	6	5	1
9	1	3	6	5	2	8	7	4
5	6	7	1	4	8	2	3	9
6	2	9	5	8	1	7	4	3
7	5	4	2	9	3	1	8	6
3	8	1	7	6	4	5	9	2
4	9	5	8	1	6	3	2	7
1	3	8	9	2	7	4	6	5
2	7	6	4	3	5	9	1	8

8	1	3	2	4	9	7	6	5
5	4	9	6	3	7	2	8	1
6	7	2	8	5	1	4	3	9
3	5	4	9	6	2	1	7	8
2	6	1	7	8	5	9	4	3
7	9	8	4	1	3	5	2	6
9	3	7	5	2	8	6	1	4
1	2	6	3	9	4	8	5	7
4	8	5	1	7	6	3	9	2

1	6	8	5	9	7	3	2	4
3	4	5	1	8	2	9	6	7
2	9	7	3	4	6	1	8	5
9	5	2	7	6	8	4	1	3
8	7	3	4	2	1	6	5	9
4	1	6	9	3	5	8	7	2
5	2	9	8	1	4	7	3	6
7	3	1	6	5	9	2	4	8
6	8	4	2	7	3	5	9	1

8	7	1	5	4	3	6	2	9
3	2	6	8	1	9	5	4	7
9	5	4	2	7	6	3	8	1
5	4	3	7	2	8	9	1	6
6	8	7	9	3	1	2	5	4
2	1	9	6	5	4	7	3	8
7	6	5	1	8	2	4	9	3
4	9	8	3	6	5	1	7	2
1	3	2	4	9	7	8	6	5

4	2	7	9	6	5	3	1	8
9	5	3	8	1	4	2	7	6
8	1	6	7	3	2	4	9	5
3	6	8	2	5	9	7	4	1
5	9	1	4	7	3	8	6	2
7	4	2	1	8	6	9	5	3
6	8	4	3	9	1	5	2	7
2	3	5	6	4	7	1	8	9
1	7	9	5	2	8	6	3	4

4	8	2	3	6	1	5	9	7
3	5	6	7	8	9	1	4	2
9	1	7	5	4	2	6	3	8
6	2	1	8	3	4	7	5	9
5	7	4	9	2	6	3	8	1
8	9	3	1	5	7	4	2	6
7	3	8	2	1	5	9	6	4
1	6	5	4	9	8	2	7	3
2	4	9	6	7	3	8	1	5

7	8	9	3	2	6	1	5	4
3	2	4	5	8	1	6	9	7
1	5	6	9	4	7	3	2	8
4	9	5	1	7	3	8	6	2
8	6	3	2	9	4	7	1	5
2	7	1	6	5	8	9	4	3
9	3	2	7	6	5	4	8	1
5	1	8	4	3	9	2	7	6
6	4	7	8	1	2	5	3	9

1	6	8	2	9	4	5	7	3
3	7	2	1	8	5	4	9	6
4	9	5	6	3	7	8	1	2
7	1	9	3	5	8	2	6	4
2	3	4	9	7	6	1	8	5
5	8	6	4	1	2	7	3	9
9	5	3	8	4	1	6	2	7
6	4	1	7	2	3	9	5	8
8	2	7	5	6	9	3	4	1

5	8	3	4	1	7	9	6	2
4	9	7	2	6	3	5	8	1
6	1	2	8	5	9	4	7	3
7	4	9	5	3	1	8	2	6
8	5	1	6	4	2	3	9	7
2	3	6	9	7	8	1	5	4
3	2	5	7	9	4	6	1	8
1	6	8	3	2	5	7	4	9
9	7	4	1	8	6	2	3	5

PUZZLE 89 | PAGE 91

4	6	1	9	3	7	5	8	2
8	5	9	2	4	1	3	6	7
7	3	2	5	6	8	4	1	9
3	1	8	4	7	2	9	5	6
6	9	7	3	8	5	2	4	1
5	2	4	6	1	9	8	7	3
9	4	3	1	5	6	7	2	8
1	8	5	7	2	3	6	9	4
2	7	6	8	9	4	1	3	5

PUZZLE 90 | PAGE 92

3	7	1	9	2	8	4	6	5
6	8	5	7	3	4	2	1	9
4	9	2	6	1	5	3	8	7
1	4	8	3	5	2	7	9	6
9	3	6	4	8	7	1	5	2
5	2	7	1	6	9	8	3	4
2	1	3	5	7	6	9	4	8
7	5	4	8	9	3	6	2	1
8	6	9	2	4	1	5	7	3

PUZZLE 91 | PAGE 93

2	7	9	8	1	6	3	5	4
3	4	1	5	9	2	8	6	7
5	6	8	3	7	4	9	1	2
4	3	7	9	5	8	6	2	1
9	2	6	7	4	1	5	8	3
8	1	5	6	2	3	7	4	9
7	9	4	1	8	5	2	3	6
6	5	2	4	3	9	1	7	8
1	8	3	2	6	7	4	9	5

PUZZLE 92 | PAGE 94

8	4	9	1	2	3	7	5	6
2	7	3	5	4	6	1	9	8
6	1	5	9	8	7	2	3	4
4	6	7	2	5	9	8	1	3
3	8	2	4	6	1	9	7	5
5	9	1	7	3	8	6	4	2
7	2	6	3	9	5	4	8	1
1	5	4	8	7	2	3	6	9
9	3	8	6	1	4	5	2	7

PUZZLE 93 | PAGE 95

6	4	7	5	8	1	9	3	2
8	1	5	2	9	3	6	4	7
2	3	9	4	7	6	5	8	1
7	2	8	1	6	5	3	9	4
4	6	1	9	3	7	2	5	8
9	5	3	8	4	2	7	1	6
1	9	2	7	5	4	8	6	3
5	7	6	3	1	8	4	2	9
3	8	4	6	2	9	1	7	5

PUZZLE 94 | PAGE 96

4	9	8	6	3	5	1	7	2
5	7	6	2	9	1	3	4	8
1	2	3	4	8	7	5	9	6
2	6	1	5	4	3	7	8	9
9	5	4	7	6	8	2	1	3
3	8	7	1	2	9	6	5	4
7	4	2	8	5	6	9	3	1
6	1	9	3	7	4	8	2	5
8	3	5	9	1	2	4	6	7

PUZZLE 95 | PAGE 97

1	7	8	4	9	5	3	2	6
6	5	4	3	7	2	8	1	9
3	2	9	1	8	6	5	4	7
2	8	1	6	4	7	9	3	5
4	9	7	5	2	3	1	6	8
5	6	3	9	1	8	2	7	4
7	3	5	2	6	9	4	8	1
8	1	2	7	5	4	6	9	3
9	4	6	8	3	1	7	5	2

PUZZLE 96 | PAGE 98

6	7	2	4	5	9	1	8	3
4	1	3	7	8	6	9	5	2
5	8	9	1	3	2	6	7	4
8	2	1	3	6	5	4	9	7
3	9	6	8	4	7	2	1	5
7	4	5	9	2	1	8	3	6
1	5	4	2	7	8	3	6	9
2	6	8	5	9	3	7	4	1
9	3	7	6	1	4	5	2	8

PUZZLE 97 | PAGE 99

5	8	2	7	6	1	9	3	4
3	4	6	2	5	9	1	7	8
1	9	7	4	3	8	2	5	6
2	7	4	9	1	5	8	6	3
6	3	9	8	7	4	5	1	2
8	1	5	6	2	3	4	9	7
7	5	8	1	4	6	3	2	9
4	6	3	5	9	2	7	8	1
9	2	1	3	8	7	6	4	5

PUZZLE 98 | PAGE 100

9	2	3	4	5	8	7	6	1
8	5	6	7	3	1	2	4	9
4	7	1	6	9	2	3	8	5
2	4	9	3	8	5	1	7	6
1	6	8	2	7	9	4	5	3
5	3	7	1	6	4	9	2	8
7	1	5	8	4	3	6	9	2
3	8	4	9	2	6	5	1	7
6	9	2	5	1	7	8	3	4

PUZZLE 99 | PAGE 101

2	3	4	7	8	9	1	5	6
9	6	8	5	1	4	7	3	2
1	5	7	2	6	3	9	4	8
6	7	2	8	5	1	3	9	4
3	8	1	9	4	6	5	2	7
5	4	9	3	2	7	8	6	1
8	9	5	4	7	2	6	1	3
7	2	6	1	3	5	4	8	9
4	1	3	6	9	8	2	7	5

PUZZLE 100 | PAGE 102

8	1	4	5	2	9	7	6	3
6	9	7	4	8	3	1	5	2
2	5	3	7	6	1	4	9	8
9	2	1	8	5	7	3	4	6
3	6	5	2	9	4	8	1	7
4	7	8	1	3	6	9	2	5
1	8	6	3	4	2	5	7	9
7	3	2	9	1	5	6	8	4
5	4	9	6	7	8	2	3	1

9	1	3	2	5	7	4	6	8
5	7	4	1	6	8	9	3	2
8	2	6	4	3	9	7	1	5
1	3	9	6	7	5	8	2	4
2	4	5	8	9	1	3	7	6
6	8	7	3	2	4	5	9	1
7	5	1	9	8	6	2	4	3
3	6	8	7	4	2	1	5	9
4	9	2	5	1	3	6	8	7

4	2	5	3	1	7	9	8	6
7	8	3	9	6	5	1	4	2
9	6	1	8	2	4	5	7	3
6	9	2	5	4	8	7	3	1
5	4	7	1	3	6	2	9	8
1	3	8	2	7	9	4	6	5
8	7	4	6	5	1	3	2	9
3	1	6	7	9	2	8	5	4
2	5	9	4	8	3	6	1	7

6	4	7	9	2	1	3	5	8
1	3	2	5	8	7	6	4	9
8	5	9	3	4	6	1	2	7
9	6	3	1	5	2	8	7	4
2	8	4	7	6	9	5	3	1
5	7	1	4	3	8	2	9	6
4	1	8	2	9	5	7	6	3
7	9	5	6	1	3	4	8	2
3	2	6	8	7	4	9	1	5

1	2	8	3	4	5	9	6	7
5	3	7	6	2	9	4	1	8
9	4	6	1	7	8	5	3	2
2	8	4	7	9	1	6	5	3
6	9	3	2	5	4	8	7	1
7	1	5	8	3	6	2	4	9
3	5	1	9	6	2	7	8	4
8	6	9	4	1	7	3	2	5
4	7	2	5	8	3	1	9	6

7	3	8	1	9	4	2	6	5
5	6	1	3	8	2	9	7	4
4	2	9	5	7	6	8	3	1
1	7	5	8	6	9	3	4	2
8	4	6	7	2	3	1	5	9
2	9	3	4	1	5	7	8	6
6	8	7	2	4	1	5	9	3
9	5	2	6	3	8	4	1	7
3	1	4	9	5	7	6	2	8

5	1	4	9	3	6	7	8	2
2	9	3	1	8	7	5	4	6
6	7	8	5	2	4	1	3	9
9	3	5	6	7	8	2	1	4
7	8	2	3	4	1	9	6	5
1	4	6	2	5	9	8	7	3
8	2	1	4	9	3	6	5	7
3	5	7	8	6	2	4	9	1
4	6	9	7	1	5	3	2	8

Look for more
PAPP puzzle books!

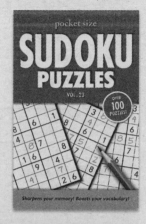

pocket size
SUDOKU
PUZZLES
VOL. 23

OVER 100 PUZZLES!

Sharpens your memory! Boosts your vocabulary!

pocket size
WORD HUNT
VOL. 45

OVER 100 PUZZLES!

Sharpens your memory! Boosts your vocabulary!

large print
WORD HUNT
VOL. 91

ALL NEW PUZZLES!

Sharpens your memory!
Boosts your vocabulary!

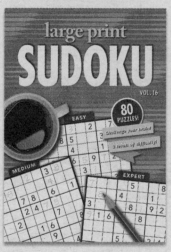

large print
SUDOKU
VOL. 16

80 PUZZLES!

EASY

MEDIUM

EXPERT

Challenge your brain!
3 levels of difficulty!

PaPP
publishing

Visit our website to find more quality products:
www.pappinternational.com

WANT TO KEEP PUZZLING?

Enjoy six issues of pocket-size **Word Hunt™** or
Sudoku delivered right to your door for just $24.95.
That's more than 600 puzzles a year

—without leaving home!

CALL
1-833-PAPPGO1

(1-833-727-7461)

VISIT
pappgames.com

Want even more puzzles?

Add a digital daily puzzle
to your subscription for only $10 more!

Try for FREE at: **pappgames.com**

*Makes a great gift for puzzle fans or
anyone looking to keep their mind active.*

Print **$24.95**
6 issues

Print **$24.95**
6 issues

*Available to U.S. residents only.
Additional delivery fees may apply
for remote locations. Please call for
more information.

Print + Digital **$34.95**
get immediate access